Vreemdgaan

D0310929

Uitgeverij Eenvoudig Communiceren | Lezen voor Iedereen
www.eenvoudigcommuniceren.nl
www.lezenvooriedereen.be

De serie *Thuisfront* gaat over problemen waarmee jongeren thuis
te maken kunnen krijgen.

Tekst: Annie van Gansewinkel
Redactie en vormgeving: Eenvoudig Communiceren
Beeld omslag: Shutterstock
Druk: Easy-to-read Publications

ISBN   978 90 8696 191 7
NUR   286

Annie van Gansewinkel

Vreemdgaan

Verkeerde naam

'Hoef je nog niet naar school?'
Britt zucht. 'Ik heb het eerste uur vrij.
Altijd op woensdag.'
Het is al maart. Haar vader kent haar
lesrooster nog steeds niet.
Ook Inge kijkt verbaasd naar Britts vader.
'Dat weet je inmiddels toch wel, Guus.'
Inge kijkt Britt aan en haalt lachend haar
schouders op. 'Je kunt die mannen alles
honderd keer zeggen.'
Ze verwacht zeker dat Britt meedoet in haar
klaagzang. Maar Britt klaagt niet over haar
vader.

Inge hoeft hier niet te wonen. Dat wil ze zelf.
Britt heeft een prima leven alleen met haar
vader. Haar vader die voor haar zorgt sinds ze
vier jaar is.
Haar moeder woont al lang in Frankrijk.
Daar gaat Britt heen voor fijne vakanties.
Britt heeft dus helemaal geen nieuwe moeder
nodig.

Inge is niet verkeerd, ze is aardig voor Britt.
Dat ze verkering met haar vader kreeg, best.
Maar waarom moest ze twee jaar geleden bij
hen komen wonen?
Britt was al twaalf. Toen had ze helemáál
geen extra moeder meer nodig.
Maar ja, haar vader was zo verliefd op Inge.
En Inge op hem. Die twee konden geen dag
meer zonder elkaar.

Haar vader kijkt op zijn horloge en staat
meteen op. Dat doet hij zo onhandig dat zijn
stoel bijna omvalt.
'Meisjes van me, ik heb haast. Een afspraak
die niet kan wachten.'
Hij geeft Britt een snelle knuffel. Inge krijgt
een halve zoen in haar nek.

'O, ja. Mieke ...' Haar vader is bijna bij de deur
en draait zich om. 'Ik ben vanavond wat later
met eten. Wacht maar niet op mij.'
Snel trekt hij de deur achter zich dicht.
Britt en Inge kijken elkaar verbaasd aan.
Mieke? Zo heet Britts moeder!

Bas

Britt loopt naar boven om haar schoolspullen
te pakken. Ze denkt na.
Haar vader zei 'Mieke' tegen Inge. Hoe kan
hij zich in hun namen vergissen? Inge lijkt
helemaal niet op Britts moeder. En haar
moeder woont al tien jaar niet meer bij hen.

Britt wilde niet bij haar moeder gaan wonen.
Weg van haar vader, uit dit huis, uit de buurt,
van school. Ze moest er niet aan denken.
En nu helemaal niet meer. Weg van haar
vrienden en van haar beste vriendin Anouk.
En weg van Bas.

Bas? Wat doet die ineens in haar hoofd?
De grappigste, leukste en knapste jongen van
haar klas. Maar dat vinden alle meiden.
Alleen draait Britt niet om hem heen zoals
alle andere meiden.

Ze doet haar agenda open.
Vandaag ziet ze Bas elk lesuur.

Gelukkig hebben ze op woensdag allemaal dezelfde vakken.

Haar gedachten dwalen af naar vanochtend. Waarom zei haar vader 'Mieke' tegen Inge? Omdat hij zijn eerste liefde niet kan vergeten? Ooit waren haar vader en moeder heel verliefd op elkaar. Anders waren ze niet getrouwd.
Maar al gauw merkten ze dat ze toch niet goed bij elkaar pasten. Ze waren zo anders. Dat hadden ze Britt verteld toen ze vier jaar was. Dus gingen ze uit elkaar.

Later, heel veel later, trouwt Britt met een man als haar vader.
Bas. Weer duikt zijn lachende gezicht op in haar hoofd.
'Kssst ... wegwezen.' Ze heeft het hardop gezegd.
Ze is niet verliefd op Bas, dat weet ze zeker. Het heeft ook geen zin. Hij wil toch niets met haar. Anders had hij allang wat geprobeerd.

Afspraakjes

Britt is niet verliefd op Bas. Als je verliefd
bent, doe je rare dingen. Dan ben je er niet
bij met je hoofd. Dat weet Britt nog goed van
toen haar vader verliefd was.
Toen ze tien jaar was, begon hij te daten.
Via internet. Hij vertelde eerst niet dat hij
op zoek was naar een vriendin. Maar Britt
had hem snel door. Als hij thuis was, dook hij
meteen achter de computer. Misschien waren
er nieuwe mails binnen van leuke vrouwen.

Toen Britt het eenmaal wist, liet hij soms
foto's zien. Wat hebben ze samen gelachen.
Britt heeft heel wat foto's voorbij zien komen.
Van vrolijke vrouwen tot rare vrouwen.
In leuke kleren en in ouderwetse.

Een vrouw schreef: 'Ik sluit je dochtertje
graag in mijn hart.'
Britt kreeg het meteen benauwd bij die
gedachte. Opgesloten in de borstkas van dat
enge mens.

'Wees maar niet bang', zei haar vader meteen.
'Ik vind haar ook eng.'
De meeste vrouwen wimpelde haar vader
meteen af. Maar af en toe maakte hij een
afspraakje. Bij de watertoren in hun dorp.

'Ik heb iets stoms gedaan', zei haar vader
op een dag. 'Per ongeluk heb ik met twee
vrouwen vlak na elkaar afgesproken. Met de
ene om twee uur en met de andere om drie
uur. Dat kan ik nu niet meer veranderen.'
'Bij de watertoren zeker?', vroeg Britt.
Haar vader knikte.

'Straks zien ze elkaar nog', lachte Britt.
'Dat is helemaal niet leuk voor ze', zei haar
vader. 'Wil jij me helpen? Bel me rond halfdrie
op mijn mobiel. Bedenk maar iets. Dat je ziek
bent of zo. Zeg in elk geval dat ik heel snel
naar huis moet komen. Dan vertrekt nummer
één uit het dorp. Daarna ben ik op tijd terug
bij de watertoren voor nummer twee.'

Britt wist niet wat ze daarvan moest denken.
Ze vond het plannetje spannend en grappig.

Maar aardig was het niet van haar vader.

'Stel je voor dat nummer één heel leuk is?

Die stuur je dan zo snel weg.'

'Tja.' Meer wist haar vader niet te zeggen.

Nummer één

'Stom ben ik.' Dat zei haar vader toen hij
thuiskwam van zijn tweede afspraakje.
'Nummer een was zeker de leukste?'
Hij knikte. 'Inge heet ze. Die heb ik met een
rotsmoes laten gaan.'
'Dan bel je haar toch voor een nieuw
afspraakje?'

Maar voordat haar vader de kans kreeg,
had Inge zelf al gebeld.
'Hoe is het met je dochter?', had ze gevraagd.
'Zo lief', had hij na het telefoontje gezegd.
Britt zag zijn wangen rood worden. Vanaf
dat moment wist ze dat volwassenen ook
konden blozen. Ook ontdekte ze dat ze net zo
stapelverliefd kunnen doen als pubers.

Ze snapte het ook wel. Eindelijk was haar
vader weer gelukkig met een vrouw.
Britt zag hoeveel plezier ze samen hadden.
Maar zelf had ze niet veel met Inge. Ze vond
het leuk als Inge bij hen was.

Maar het was nog leuker wanneer Britt met
haar vader alleen was.

Tot Inge op een dag niet meer wegging.
Ze ging samenwonen met Britts vader. En met
Britt dus. Inge deed haar best. En ze probeerde
gelukkig niet om haar moeder te spelen.

Inge is veel jonger dan Britts vader.
'Als ze maar geen kinderen wil!', riep Britt
toen ze een keer met haar vader door de
bossen fietste. Meteen had ze vaart gemaakt.
Ze wilde het antwoord van haar vader niet
horen. Maar ze had toch nog net gehoord wat
hij riep: 'Ik kan het niet beloven.'
Zo'n jankertje in huis, Britt moest er niet aan
denken.

Britt loopt naar beneden. Inge zit nog aan
de tafel vol ontbijtspullen. Ze kijkt bedrukt.
Piekert ze over de naam Mieke die haar vader
liet vallen?
'Dag, Inge, fijne dag.' Ze doet haar best om het
lief te zeggen.
Inge glimlacht een beetje treurig.

Uitwaaien

'Ga je mee, Britt, lekker mountainbiken?',
vraagt haar vader. 'Ik moet nodig weer eens
uitwaaien.'
'Lekker.'
Britt trekt meteen haar fietskleren aan.
Het is lang geleden dat ze samen door de
bossen hebben gecrost. De laatste tijd had
haar vader het zo druk.
'Wanneer gaan we weer eens samen fietsen?'
Britt vroeg het haar vader vaak.
'Mijn werk, hè', had hij pas nog met spijt
gezegd. Het kwam er steeds niet van.

'Hopelijk is je fiets niet vastgeroest', zegt Britt
als ze bij de fietsen staan. 'Je banden zijn in
elk geval plat.'
Haar vader pakt de fietspomp. Hij wijst naar
haar fiets. 'Daar mag ook wel wat lucht bij.'

Britt heeft de laatste tijd ook weinig op haar
mountainbike gezeten. Ze vindt er niks aan
om alleen te gaan.

Ze kent niemand anders die aan mountainbiken doet. Anouk krijgt ze voor geen goud op zo'n fiets. Die heeft er al een hekel aan om naar school te fietsen. Zou Bas het leuk vinden om te mountainbiken?
Haar vader praat dwars door haar gedachten heen. 'Eerst een stukje over de dijk en dan de berg op?'
Ze rijden de straat uit. 'Een kort rondje om er weer in te komen?' Haar vader knikt.

Even later gaan ze het bos in. Dat vindt Britt het leukst. Heuvel op, heuvel af, scherpe bochten. Niet te voorzichtig.
Hier en daar liggen plassen. Het heeft de laatste weken vaak geregend.
Al gauw hebben ze een flink tempo. Klonten modder vliegen omhoog als ze stevig moet bijremmen. Het maakt haar niet uit dat ze onder de modder zit. Juist lekker.

Haar vader is buiten adem van het fietsen.
Van praten komt het niet.
Britt wil hem nog wel iets vragen. Waarom zei hij laatst 'Mieke' tegen Inge?

Maar nu heeft ze geen zin in een moeilijk gesprek. Gewoon lekker fietsen, samen.

'Lekker, hè', roept haar vader. Lachend kijkt hij haar aan vanonder zijn helm. 'Dit moeten we vaker doen. Ik moest de wind weer eens rond mijn kop voelen.'
Ze zoeven van een heuvel af.
Britt knikt. 'Ja, heerlijk.'
Bij een scherpe bocht moet ze flink in haar remmen knijpen. Anders vliegt ze van de steile helling.
Nu laat ze snel haar remmen los. De vaart die ze nog heeft, heeft ze nodig.
Het pad gaat ineens weer steil omhoog.
Dit is genieten. Zo voelt ze dat ze leeft.
Zij fietst hier met haar beste maatje.

Zij heeft alles

'Dat was heerlijk, pap.'
In een rustig tempo rijden ze het dorp weer in.
'Dit moeten we echt vaker doen', zegt haar
vader weer. Britt ziet dat hij het meent.
Aan Britt zal het niet liggen. 'Maar jij hebt het
zo druk met je werk.'
'Dat gaat voorbij. Hoop ik.'
Meteen lijkt hij ergens anders met zijn
gedachten.
'Je kunt het toch wel beter regelen', zegt Britt.
Hij lijkt haar niet te horen.
Ze ziet zijn denkrimpels. Er is niets meer te
merken van dat uitwaaien. Hij denkt alweer
aan zijn werk. Daardoor fietsen ze nog
langzamer.

Achter hen rinkelen twee fietsbellen. Haar
vader schiet naar voren om de fietsers erlangs
te laten. Britt vergeet meteen te trappen.
Twee bekenden halen haar in. Die wil ze nu
niet zien en zeker niet samen.
Niet zo.

Gelukkig letten de twee helemaal niet op
Britt. Ze fietsen hand in hand. Het meisje
lacht breeduit naar de jongen, met haar witte,
gave tanden. Haar topje is net te bloot.

De jongen geeft haar een zoen op haar wang.
De sturen van hun fietsen haken bijna in
elkaar. Lachend zoeken ze hun evenwicht.
Dan krijgt het meisje weer een zoen.
Hij laat haar hand los. Nu geeft hij haar een
tikje op haar billen. Britt ziet elk gebaar van
de twee.

Laat hem niet omkijken. Hij mag Britt niet zo
zien. Aan haar gezicht is vast af te lezen dat
ze dit afschuwelijk vindt.
Dorris, het meisje dat alles al heeft.
Nu heeft ze hém ook nog: Bas.

Kom op, Britt, zegt ze tegen zichzelf. Jij ziet
er toch ook goed uit. Je bent sportief, je
hebt lange, sterke benen. Als de zon schijnt,
glanzen je lange bruine haren. En als je lacht,
straalt je hele gezicht. Maar wat heeft ze
daaraan als Bas dat niet ziet?

Klef

'Zo klef waren die twee.'
Anouk glimlacht. Ze lijkt Britts verhaal niet zo schokkend te vinden. Normaal moet ze ook niets hebben van kleffe stelletjes.
Britt heeft na het fietsen gedoucht en is meteen naar Anouk gegaan. Ze moest vertellen wat ze had gezien.

'Je raadt nooit met wie … ' Zo was ze bij Anouk het huis binnengestormd.
'Waarom doe je zo opgefokt?', vroeg Anouk.
Die vraag had Britt wat gekalmeerd. Ja, waarom deed ze zo opgefokt?
'Ik vind dat ze helemaal niet bij elkaar passen.'
'Daar ga jij toch niet over?' Weer stelde Anouk een goede vraag. Ze had gelijk.

'Ik vind het zo zonde van Bas. Hij is sportief, grappig, aardig, verstandig. Alles wat Dorris niet is.'
'Verliefd is verliefd.

Ze vallen nu eenmaal op elkaar. Verstand
heeft daar niets mee te maken.'

Anouk kijkt haar diep in haar ogen. Straks
ontdekt ze dat Britt jaloers is op Dorris.
'Die Dorris heeft alles al. Rijke ouders, ze ziet
er goed uit, kan goed leren. Ze krijgt alles wat
haar hartje begeert.'
Nu heeft ze Bas ook nog gekregen, wil ze
zeggen. Maar dat slikt ze nog net op tijd in.

'Je bent toch niet jaloers op haar? Trouwens,
hoeveel vriendinnen heeft Dorris? Volgens mij
geen. In elk geval niet zo'n goede vriendin als
ik voor jou ben.'
'Al zeg je het zelf', lacht Britt. 'Maar je hebt
gelijk.'
Ze knuffelen elkaar, lachen en roepen dan
tegelijk: 'Wat doen we klef!'

Lachen

'Hè?' Britts mond valt open. Ze kan nog maar net haar pudding binnenhouden.
'Wat doe jij nou, Guus?' Inge staart Britts vader aan.
Hij giet de pudding uit het pak, zo op het tafelkleed. Zijn lege schaaltje staat nog midden op de tafel.

'Verdorie, irritant.' Hij staat op om een vaatdoekje te pakken.
'Jij bent er niet helemaal bij met je hoofd.'
Inge zegt het een beetje vertederd. Ze kan nooit kwaad worden op Britts vader. Nog even verliefd als toen ze hier voor het eerst kwam.

Wat had hij hen trots voorgesteld aan elkaar.
Britt weet het nog goed.
Hij had een arm om Britt heengeslagen.
'Inge, dit is mijn mooie, sterke, grappige dochter. Britt, dit is nou Inge.'
Wat had hij verliefd naar Inge gekeken.

Britt denkt terug aan drie jaar geleden. Toen gebeurde hetzelfde. Alleen niet met pudding, maar met citroenkwark. Hij kende Inge nog maar net. Hij was bij haar op bezoek geweest. Tegen Britt vertelde hij hoeveel plezier ze samen hadden. Toen hij voor zich uit staarde, liet hij de kwark zo op tafel ploffen. Gierend van het lachen hadden ze samen de rommel opgeruimd.

Maar nu kijkt hij geërgerd. Eerst naar Inge, dan naar de grote chocoladeklodder op tafel. Het vieze vaatdoekje drupt pudding op de keukenvloer. Dat maakt hem nog bozer. Zo kwaad heeft Britt hem haast nog nooit gezien.

Inge klopt op zijn arm. 'Ga eens rustig zitten. Neem pudding, er is genoeg. Hier, je bakje.' Maar hij schuift het weg en loopt naar de gang. 'Ik hoef niks. Ik ga aan het werk. Ik heb het druk met lastig rekenwerk.' 'Moet je nou alweer werken?' Inge zegt hardop wat Britt denkt. Hij is al op de trap en hoort het vast niet.

Na de afwas loopt Britt naar haar kamer.
Huiswerk, geen zin.
Ze komt langs haar vaders werkkamer en
hoort hem praten. Het klinkt niet als lastig
rekenwerk.
Zijn stem klinkt blij. Met wie is hij aan de
telefoon?
Dan hoort ze zijn vrolijke lach. Britt was bijna
vergeten hoe die klinkt. Wie maakt hem zo
aan het lachen?

Zweet

'Meer vuur in je draai. En 1, 2, 3 ... gaan!'
Te laat. Britt blijft stijf staan. Bijna stampt ze
op de grond. Weer is ze te laat.
Voor haar danst de hele groep meiden.
Soepel en ritmisch. Zij staat achteraan en
voelt zich lomp.
Ze kijkt naar de soepele voeten voor haar.
Nu wacht ze met instappen tot de juiste tel:
2, 3 en ... gaan!
Kijken en tellen. Tot ze alleen nog muziek
voelt in haar lijf. Nu gaat het wel goed,
gelukkig.

Maar ze blijft een stijve plank, als ze ziet hoe
Dorris zich beweegt. Die maakt geen fouten.
Dorris die nog beter danst nu ze Bas heeft
veroverd. Als hij na afloop maar niet op Dorris
staat te wachten. Na streetdance ziet Britt
er altijd uit alsof ze gevochten heeft. Een
vuurrode kop, haar haar in slierten en overal
zweet. Haar 48-uursdeo beschermt haar nog
geen uurtje met dansen.

Dorris stapt na afloop altijd fris de zaal uit,
verblindend in haar perfect-slordige kleren.

'Britt, doe je ook weer mee?'
Ze schrikt op van de stem van Janice.
'Go, go, girl!'
Ze stond dus weer stil.
Britt zucht. Haar lijf voelt loodzwaar.
Toch probeert ze haar lichaam opnieuw in
beweging te brengen.

Geur

'Was het leuk?', roept Inge als Britt de kamer
binnenkomt.
'Nee.'
'Nee?'
Als Inge maar niet denkt dat ze er gezellig
over wil praten. Britt loopt meteen door naar
de gang. Ze heeft een douche nodig, want ze
stinkt vast een uur in de wind. Ze tilt haar
linkerarm op en snuift. Ze ruikt niks. Maar in
haar hoofd stinkt ze verschrikkelijk.

Ze gooit haar rugtas onder de kapstok.
Ze stopt haar neus in de lange jas van haar
vader. Als kind kon ze soms minuten tussen
zijn jassen staan. Altijd was er iets van hem in
zijn jassen blijven hangen. Zijn geur, zo heel
eigen, zo echt haar vader.

Die geur ruikt ze nu vaag, maar een andere
geur is sterker. Zijn luchtje? Het is geen
geurtje van Inge. Af en toe ruikt Britt wel eens
aan de flesjes van Inge. Soms leent ze wat.

'Je mag gerust mijn geurtjes gebruiken',
heeft Inge ooit gezegd. 'Kies maar wat je
lekker vindt.'

Britt snuift nog een keer voordat ze naar
boven loopt. Dit luchtje van haar vader kent
ze niet.
In de badkamer ziet ze alleen zijn vaste merk
aftershave staan. Ze weet zeker dat ze die
niet rook op zijn jas.
Toch draait ze de dop eraf. Inderdaad, op zijn
jas zit een heel ander geurtje.

Haar ogen glijden langs alle potjes en flesjes
van Inge. Niks nieuws. Douchegel, shampoos,
het zijn allemaal bekende flessen.
Wat is dat dan voor geur op die jas? Hij is
sterker dan haar vaders geur.

Nu eerst lekker douchen. Al het zweet
afspoelen. Dat zweten heeft niet eens
geholpen. Ze heeft beroerd gedanst.
Na afloop gebeurde waar ze al bang voor
was. Dorris liep als een fraaie ijsprinses in de
armen van Bas. Bij de deur bleven ze staan.

Britt stampte als een briesend paard voorbij.
Tegen Bas kon ze alleen maar flauwtjes
'h...o...o...oi' hinniken.

Nieuw kapsel

Britt heeft helemaal geen trek. Normaal
heeft ze na streetdance honger als een
paard. In haar hoofd hoort ze haar stomme
hinniklachje na streetdance. Bas lachte aardig
terug.

Ze loopt naar beneden. Het helpt niet als
ze zegt dat ze geen trek heeft. Daar is haar
vader altijd heel streng in. Geen trek? 'Toch
beginnen met eten', zegt hij dan. 'Dan komt
de eetlust vanzelf.'
Meestal kookt Inge, maar haar vader kookt
veel lekkerder. Vroeger hielp Britt hem vaak.
Het was alsof het beter smaakte als je het
daarna samen opat. Met zijn tweetjes.
Ach, Inge doet haar best. Maar voor Britt
hoeft het niet.

Als Britt de trap afkomt, is haar vader net
binnen. Hij staat voor de spiegel in de gang.
Hij probeert de achterkant van zijn hoofd te
bekijken.

'Ik heb een tip voor je', zegt Britt. 'Dat kun je beter zien in de dubbele spiegel van de badkamer.'

'Wat zeg je?'

Als hij zich omdraait, valt haar mond open. Nu ziet ze het pas. Een heel ander kapsel.

'Waar is je haar gebleven?'

'Daar moest een flink stuk af, veel te lang.' Zijn lange, donkere haren zijn weg. Stekels zijn er over. Met glimmende gel staan ze bovenop zijn hoofd.

'Wat erg, wat vreselijk.' Britt stamelt het bijna. 'Wat vindt Inge ervan?'

Misschien heeft Inge het nog niet gezien. 'Wat vind ik waarvan?', vraagt Inge als ze de gang inkomt. 'O, nee. Wat vreselijk', fluistert ze. 'Ik vind het veel leuker', zegt Britts vader. 'In de lunchpauze was ik dat saaie haar ineens zat. Ik ben meteen naar de kapper gegaan.' 'En wat vonden je collega's ervan?' Inge hoopt zeker dat de collega's het ook niets vonden. 'Die vonden het een stuk leuker. De vrouwen dan. De mannen zagen niks.'

'Zelfs niet dat je ineens bijna kaal bent?',
vraagt Britt.
'Je overdrijft, Britt. Kijk niet zo geschokt, Inge.
Het groeit wel weer aan. Maar ik houd het
kort. Wij vinden het leuker zo.'

'Wij?' Britt en Inge vragen het tegelijk.
'Eh ..., mijn collega's en ik natuurlijk.'
'Natuurlijk', zegt Inge.
Haar vader lijkt niet te horen hoe zuur ze dat
zegt. Hij vraagt: 'Gaan we nog eten? Ik heb trek.'

Werkstuk

Haar werkstuk moet over twee weken af zijn.
Britt heeft het steeds uitgesteld. Ze weet nog
steeds niet waar ze over zal schrijven.
Eerst dacht ze aan streetdance. Maar dat gaat
de laatste tijd zo beroerd. Ze vindt het al erg
genoeg dat ze daar elke week heen moet.
Er ook nog een werkstuk over maken ziet ze
echt niet zitten. Misschien moet ze er ook nog
een spreekbeurt over houden. Zeker aan de
klas vertellen dat het zo'n leuke hobby is?

Streetdance werd al minder leuk toen Dorris
erbij kwam. Vanaf dag één kon ze het goed.
Sinds ze iets met Bas heeft, kan Britt er
helemaal niet meer tegen. Zo klef ook dat hij
Dorris steeds komt ophalen.

Dit tussenuur moet ze echt beslissen wat
haar onderwerp wordt. Daarom is ze nu in de
mediatheek. Het onderwerp moet deze keer
over henzelf gaan.
Streetdance is altijd een grote hobby geweest.

Maar nu vindt ze er niks meer aan.
'Wat zit jij te piekeren?'
Nee, hè. Bas. Hij schuift een stoel naast haar.
Komt hij ook nog bij haar zitten.
'Ik heb nog geen onderwerp voor mijn
werkstuk. Jij wel?'
Dat vindt ze een slimme vraag van zichzelf.
Nu hoeven ze het niet over haar te hebben.

Hij knikt. 'Ik ga het hebben over dansen van
nu. Breakdance, hip-hop en streetdance.'
'Jij doet breakdance, hè?', vraagt Britt.
'Dus daar weet je alles van.'
'Alleen van streetdance weet ik weinig. Wil jij
me helpen?'
'Vraag dat maar aan Dorris.'
Ze hoort zelf hoe kattig het klinkt.

'Jij doet het al veel langer. Dat heb je ooit
verteld bij een spreekbeurt in de brugklas.'
Dat hij dat nog weet. Daar raakt ze zo van in
de war dat ze opstaat.
'Dorris is er veel beter in. Ze vindt het vast
leuk om je te helpen. Gezellig zo samen.'
Het klinkt bijna vals.

'Ik heb trouwens ook geen tijd. Ik moet eerst een onderwerp vinden.'

Ze staat op en loopt de mediatheek uit.

Er dreunen maar een paar onderwerpen in haar hoofd. Bas, Bas en Dorris, Bas, en nog eens Bas.

Los of vast?

Weet je wat? Ze steekt haar haar op. In de spiegel bekijkt Britt hoe ze eruitziet. Wel wat tuttig en oud. Dan hier een plukje haar los en daar nog een. Het is best lastig om het slordig te maken. Zo, nu nog wat haar naar achteren. Dat is ook niks. Ze maakt de haarklem weer los en schudt haar haar wild. Ze schudt en schudt en kijkt in de spiegel.
Nu is ze net een ragebol.

Ze wilde zo graag lang haar en nou vindt ze dat ook niks. Ze kan het kort laten knippen, stekeltjes zoals haar vader. Dat nooit. Hoe haalt haar vader het trouwens in zijn hoofd? Dat zijn collega's dat mooi vinden. Hij vond het niet eens erg dat Inge het lelijk vond. Maar je moet je haar natuurlijk dragen zoals je het zelf mooi vindt.

Ze probeert haar haar nog een keer op te steken. Dan denkt ze aan Dorris die ook lang haar heeft. Die draagt het los.

Bas valt op lang haar. Maar houdt hij ook van bruin haar? Ze kan het laten blonderen. Weer maakt ze de klem los en meteen wordt ze boos op zichzelf. Wat vindt ze zelf mooi? Daar gaat het om, niet om wat Bas vindt. Trouwens, Bas is met Dorris. Hoe vreselijk Britt dat ook vindt.

Hoe ze haar haar in model krijgt is één probleem. Maar ze heeft een veel groter probleem. Hoe krijgt ze Bas uit haar hoofd? En uit haar hart?
Ze wist niet dat verliefd zijn zo lastig is.
Tenminste, als de ander niks voor je voelt.

Waar staat ze zich druk om te maken?
Ze stopt de haarklem in haar broekzak.
Als een razende rent ze de trap af.
Deze week was ze al een keer te laat op school. Ze heeft geen zin in straf. Dan moet ze zich morgen om halfacht melden.

Bezet

'Hè, hè.' Meer zegt Anouk niet. Ze staat vast
al lang te wachten.
Britt heeft keihard gefietst. Buiten de poort
zag ze Bas en Dorris. Die twee stonden
natuurlijk weer te kleffen. Daar komen ze
aanlopen, als een stokoud stel. Ze lopen hand
in hand. Net zo klef als op de fiets.

'Als blikken konden doden', hoort ze Anouk
naast zich zeggen.
Meteen kijkt Britt een andere kant op.
'Wat zeg je?' Maar ze weet dat ze Anouk niet
voor de gek houdt.
Laat Bas niet haar kant opkijken. Ze ziet er
vast niet uit. Ze heeft een verhit hoofd van
het fietsen en haar haar zit raar.

'Je hebt het flink van hem te pakken, niet?'
Zal ze ja of nee zeggen? Anouk wacht niet
eens op een antwoord.
'Hij is bezet, Britt.' Ze zegt de vier woorden
rustig. Maar het voelt als een trap na.

'Dat hoef je mij niet te vertellen.'
Britt kan zeggen dat ze niet verliefd is.
Maar Anouk gelooft haar toch niet.
Ineens wordt ze boos. Op Bas, Dorris, en op
Anouk die haar geen dromen gunt.
'Maar ik krijg hem nog wel.'
Ze draait zich om en loopt naar binnen.

Anouk komt achter haar aan. 'Dat kun je niet
maken. Hij is van een ander.'
Britt blijft staan. Ze weet dat Anouk gelijk
heeft. Maar het kan haar niet schelen.
'Ik kan er niets aan doen. Ik kan toch niet níet
verliefd zijn.'
Anouk zwijgt.

'Vertel dan hoe je dat doet, als je het zo goed
weet.'
Hulpeloos haalt Anouk haar schouders op.
'Je mag natuurlijk wel verliefd zijn.'
'Ik mag er alleen niets mee doen, bedoel je?'
Anouk knikt, maar Britt doet net of ze dat
niet ziet. Ze draait zich om en loopt naar haar
kluisje.

Het whatsappje (1)

Vandaag gaan ze misschien iets leuks doen. In elk geval begint de zondag met een gezellig ontbijt samen. Misschien wil haar vader straks wel met haar mountainbiken. 'Heerlijk, helemaal geen afspraken vandaag. Wat zullen we eens gaan doen, Guus?'

Inge kijkt naar haar vader. Als Inge haar zin krijgt, kan Britt het mountainbiken wel vergeten. Wanneer ze de blik van haar vader ziet, weet ze het zeker. Hij rekt zich uit. 'Ja, even niets hoeven. Vanmiddag ergens lekker rustig op een terras zitten of zoiets.'

'In het park is een klein festival met muziek', probeert Inge. 'Dat vond jij vorig jaar ook zo leuk.' Ze kijkt Britt aan. Britt heeft niet veel zin om gezinnetje te spelen. Zeker gezellig met zijn drietjes op pad? Maar behalve mountainbiken met haar vader heeft ze geen beter idee.

'Laten we vanmiddag maar zien', zegt haar vader. 'Is er nog koffie?' Hij staat op. 'Wacht maar, ik pak wel.' Inge is al opgevlogen. Ze verdwijnen samen in de keuken.

Op tafel zoemt haar vaders mobiel. Er komt een berichtje binnen. De laatste tijd gebeurt dat steeds vaker. Vroeger whatsappte hij bijna nooit. Britt wil op het schermpje kijken. Wie is dat toch? Vaak gebeurt het 's avonds. Maar nu zo vroeg?
'Pap, een berichtje.'

Gehaast stapt haar vader de kamer in. Hij kijkt op het schermpje en drukt het snel weg. Inge komt binnen met de koffie. 'Zo vroeg?' 'Iemand van mijn werk.'
'Op zondag?' Inge kijkt verbaasd.
'Een collega die altijd met het werk bezig is.'
'Moet die jou daar op zondag mee lastigvallen?'

Haar vader zucht. 'Inge, je weet dat ik het druk heb. Ik moet zo even een mail sturen. Daarna heb ik de rest van de dag helemaal vrij. Dan kan ik lekker met mijn meisjes op stap.'

'Ik denk dat ik zo wel ga mountainbiken.'
Britt hoopt dat haar vader zegt dat hij
meegaat.
Hij zegt niets, pakt zijn mobiel en gaat naar
zijn werkkamer.
'Daarna gezellig koffie samen?', roept Inge nog.
Niks samen mountainbiken, denkt Britt.

Het whatsappje (2)

Dat muziekfestival was een goed idee van Inge. Britt moet het toegeven. Als ze het zegt, straalt Inge helemaal.
'Ik ben blij dat jij het ook leuk vond.'
Inge bedoelt het zo goed. Britt kan wel eens wat aardiger voor haar zijn.

Inge kreeg iets met haar vader en Britt kreeg ze er gratis bij. Daar zat Inge vast niet op te wachten. Maar zij heeft ook niet om Inge gevraagd. En zeker niet dat ze bij hen kwam wonen. Haar vader heeft een relatie met haar, Britt niet. De laatste tijd merkt ze trouwens weinig van die relatie.
Meteen toen ze thuiskwamen, ging haar vader naar zijn werkkamer. 'Nog even kijken of het die collega gelukt is met het werk.'

Britt had wel gezien dat Inge dat jammer vond. Maar ze zei er niets over.
'Drinken we dan straks gezellig een glaasje voor het eten?'

Britt pakt haar jas van de bank om hem aan de kapstok te hangen. Ze neemt meteen het korte jasje van haar vader mee. Ze snuift. Niet zijn aftershave, maar de zoetige geur van zijn lange jas laatst. Rook Inge die andere geur vandaag niet?

Dan schrikt ze. Het mobieltje trilt in zijn binnenzak.
Een tweede trilling, een nieuw whatsappje. Ze haalt de telefoon uit zijn zak en ziet een naam oplichten: Mieke.
Stuurt haar moeder berichtjes naar haar vader? Normaal vindt zij mobieltjes maar niks. 'Ik zie of hoor iemand liever in het echt', zegt ze altijd.

Britt loopt langzaam met het mobieltje naar boven. Wat zou mam voor belangrijk nieuws voor pap hebben?
'Pap, een whatsappje van mam', roept ze op de overloop. Zonder na te denken, opent ze de deur van zijn werkkamer.

Gewoon een collega

'Guus?'

Britt ziet de vragende ogen van een jonge vrouw op de computer. Ze hoort ook hoe verbaasd ze klinkt.

Snel klikt haar vader het beeld weg. Boos kijkt hij naar Britt.

'Doe niet zo onbeschoft. Ik zit te werken. Je stormt hier niet zo naar binnen. Dat doe ik toch ook niet op jouw kamer. We hebben een afspraak, Britt. Altijd eerst kloppen!'

Zo boos heeft ze hem nog nooit gezien.

'Sorry, maar ik hoorde je mobiel.'

Meteen steekt hij zijn hand uit: 'Hier.'

Hij klinkt alsof hij ergens bang voor is.

'Ik zag dat mam je een berichtje stuurde. Het kan dringend zijn, dacht ik. Mam whatsappt anders nooit.'

'Hier, dat ding', herhaalt haar vader.

Ze geeft zijn mobieltje en hij zet het meteen uit.

'Wil je niet weten wat mam schrijft?'
Haar vader zucht. 'Het is je moeder niet.'
Nu snapt Britt er helemaal niets meer van.
'Er stond: Mieke.'
'Er zijn wel meer vrouwen met die naam.'
Dan knikt haar vader ongeduldig. 'Laat me nu
verder met rust. Ik moet werken.'

Britt draait zich om en doet de deur achter
zich dicht. Zij is ook boos. Hij kan toch wel
'dank je wel' zeggen. Zij komt zijn mobieltje
brengen.
Dan duwt ze de deur weer open. Ze weet niet
eens waarom ze dat doet. 'Kom je straks nog
iets drinken voor het eten? Inge heeft je glas
al ingeschonken.'
Verschrikt kijkt hij om. Op het scherm praat
diezelfde vrouw.
'Wacht even.' Heeft hij het tegen haar of
tegen die vrouw? Haar vader heeft het beeld
alweer weggedrukt.

Maar Britt laat zich niet wegdrukken. Ze loopt
naar hem toe: 'Wie is die vrouw?'
'Doe eens normaal. Gewoon een collega. Ik

help haar met een moeilijk project.'
Dat laatste zegt hij rustig. Britt wil het graag geloven.
Maar dan wordt hij weer boos: 'En nu wegwezen.'
Hij duwt haar zowat de deur uit.
Bij de trap staat Britt stil. Gewoon een collega, ja, ja. Zal Inge dat wel geloven?

Weer werken

'Nou is het weekend al bijna om.' Inge zegt
het teleurgesteld, terwijl ze haar rijsttoetje
eet. Britts vader zegt niets. Hij is de hele
maaltijd al stil.

'Morgen weer naar school.' Britt doet alsof
ze diep zucht. Eigenlijk vindt ze het niet erg
om naar school te gaan. Dan ziet ze haar
vriendinnen, Anouk vooral. En Bas. Geef het
nu maar toe, zegt ze in zichzelf.
Bas is bezet, zegt een andere stem.
Dat weet ik ook wel, zegt de eerste stem weer.
Nu zijn de twee stemmen in haar hoofd boos
op elkaar.
'Ik ga zo nog even aan het werk', zegt haar
vader.
Vindt Inge het niet erg? Ze vertrekt geen spier.
Of ziet Britt daar een verdrietig trekje om
haar mond?

Dat kan Britt niet aanzien. Ze moet er iets van
zeggen. 'Waarom ga je nou alweer werken?

Het is zondag. Je bent de dag ook al begonnen met werken. Nu werk je aan het eind weer. Vind je Inge en mij soms niet gezellig genoeg?'

Inge maakt een gebaar. Laat maar, zegt ze met haar handen.
'Ik vind er in elk geval niks aan.' Britt laat zich niet stoppen. 'Je bent de laatste tijd heel vaak weg. En áls je een keer thuis bent, zit je boven. Dan ben je aan het werk. Dat zeg je tenminste.'
Ze weet zelf niet waarom ze dat laatste erbij zegt. Haar vader haalt zijn schouders op.

Hij staat op. 'Hoor eens, Britt. Volgens mij ga jij daar niet over. Dat is iets tussen Inge en mij. Inge snapt dat het druk is op mijn werk. We zitten met een groot project. Dat is al niet makkelijk. En dan zeur jij ook nog eens aan mijn kop.'
Britt vliegt op. Hij doet alsof ze een klein kind is dat niets snapt. Ze snapt het misschien maar al te goed. En die lieve Inge, die altijd alles begrijpt, heeft niets in de gaten.

Vergeten te dansen

'En ... 2, 3, go girls!'
Janice gooit haar heupen naar voren. Ze strekt
haar armen en draait in en uit. Britt volgt
haar lerares zonder moeite. Dit gaat lekker.
Wat is streetdance toch heerlijk.

Haar hoofd wordt leeg. Er is alleen nog
muziek. Haar lichaam beweegt vanzelf. Het is
lang geleden dat het zo goed ging.
Maar vandaag is Dorris ook niet in de les.
Niet dat stralende voorbeeld op de eerste rij.
De perfecte kleren, het volmaakte lichaam en
de beste danspasjes. Grrr...andioze Dorris.

Heerlijk dat ze er niet is. Haar lege plek geeft
Britt energie. Straks staat Bas tenminste niet
te wachten op zijn ster. Anders probeert Britt
altijd langs hen heen te glippen. Hij mag haar
niet zien. Zwetend en puffend en met een
rood hoofd. Maar natuurlijk ziet hij haar toch.
Altijd vangen zijn ogen die van haar. Ze denkt
er een spottende blik in te zien.

Waarom is Dorris er nu niet? Zou ze met Bas zijn? Vast. Ze hebben plezier en zijn samen op een mooie plek. En ze zoenen.

'En … stop.'

Britt schrikt op. Ze merkt dat ze al stilstond. Helemaal vergeten te dansen.

Gelukkig zegt Janice er niets van. Maar het meisje naast haar kijkt haar verbaasd aan.

Eén auto en één fiets

Gelukkig fietst er na streetdance niemand
met haar mee. Britt merkt dat ze langzaam
fietst. Zo kan ze het beste nadenken.
Er gebeurt zoveel de laatste tijd. Bas, Bas en
Dorris. Hoe kan ze hem losmaken van Dorris?

Dan hoort ze weer de stem van Anouk: Hij is
bezet. De stem in haar hoofd zegt hetzelfde.
Hij is bezet.
Maar dan komt die andere stem erbij. Bas is
zo leuk, zo lief, de liefste.
Zou hij nu bij Dorris zijn of is hij gewoon
thuis? Ze fietst zijn straat in. Zonder dat ze
het echt in de gaten heeft. Wat doet ze hier?

Dit is een stomme actie, weet ze meteen.
Stel je voor dat hij haar ziet? Normaal komt
ze hier nooit. Wat moet ze zeggen? Ze fietst
steeds sneller. Ze moet zo snel mogelijk deze
straat uit.
'Ik ging langs bij mijn vaders werk. Dat is hier
in de buurt.'

Zoiets zal ze zeggen, als ze hem per ongeluk
tegenkomt. Wat ze daar om zes uur 's avonds
moet doen, kan ze nog niet bedenken.
Gelukkig is ze de straat snel uit. Nu hoeft
ze geen smoes meer te verzinnen. Ze is een
zijstraat ingefietst. Aan het eind van de straat
ziet ze het grote gebouw waar haar vader
werkt.

Op de hoek stopt ze. Bijna iedereen is weg.
In het gebouw brandt nergens meer licht.
Er staat nog één auto op de parkeerplaats.
Haar vader is hopelijk ook al naar huis.
Dan kunnen ze straks weer eens gezellig met
zijn drietjes eten.
Ineens komen er twee mensen door de
draaideur naar buiten.
Britt snapt zelf niet wat ze doet. Maar ze
duikt met haar fiets weg achter een hoekhuis.

Voorzichtig kijkt ze om de hoek. Haar vader.
Met een vrouw. Is het die vrouw van het
computerscherm zondag?
Ze praten druk en lachen. Gewoon, leuke
collega's samen.

Ze lopen naar de auto. Britt kijkt naar het fietsenhok. Daar staat nog één fiets. Haar vaders fiets. Toch loopt hij er niet heen. Hij stapt bij de vrouw in de auto. Ze kijken elkaar aan.

En dan – Britt knijpt haar fietsstuur bijna fijn – zoenen ze elkaar. Nog eens. Nu langer. Ze wil naar de auto rennen. Haar vader eruit sleuren. De auto in elkaar trappen. En die vrouw erbij.

Maar ze draait zich om en fietst als een gek naar huis.

Lieve meisjes van me

De auto van Inge staat niet voor de deur. Ze is nog niet thuis van haar werk. Gelukkig maar. Britt krijgt de beelden niet uit haar hoofd. Haar vader, die vrouw, de auto, het zoenen.

Als Inge nu thuis was, zou Britt het er meteen uitflappen. Ze kan beter wachten tot ze rustiger is. Maar zal ze rustiger worden? Gisteren zag ze haar vader nog zoenen met Inge. Vandaag met een andere vrouw. Hoe kan hij zoiets doen? Heeft hij geen gevoel?

Dan ziet Britt het lampje van de telefoon knipperen. Een bericht op de voicemail. Langzaam duwt ze op het knopje. Het verbaast haar niet dat ze de stem van haar vader hoort. Die laat natuurlijk weten dat hij later komt. Ze is benieuwd wat voor smoes hij nu weer heeft.
'Sorry, lieve meisjes van me. Mijn werk loopt uit. Wacht maar niet met eten. Het kan laat worden. Kusjes.'

Kusjes. Door de telefoon voor zijn lieve
meisjes. In het echt zijn ze voor die vrouw.
Bah! Britt krijgt een vieze smaak in haar mond.

Eten, ze moet er niet aan denken. Ze voelt
zich misselijk.
De auto van Inge stopt voor het huis.
Britt moet Inge alles vertellen. Maar niet nu.
Ze gaat naar haar kamer. Eerst bedenken hoe
ze dit aan Inge vertelt.
Ze moet even liggen. Ze is te misselijk om na
te denken.
Zo gemeen, haar eigen vader.

Verraden

Britt slikt nog een keer en staat op. Ze moet
naar beneden om Inge alles te vertellen.
Van die beelden op de computer. Het
whatsappje van Mieke op haar vaders mobiel.
Mieke die niet haar moeder is. Mieke bij wie
hij in de auto zat. Mieke met wie hij innig
zoende.

Inge moet het allemaal weten. Als Britt het
niet vertelt, komt ze er nooit achter. Of is dat
misschien beter? Dan leven ze gewoon door,
alsof er niets aan de hand is. Haar vader met
zijn geheim. En Britt met het geheim van haar
vader.
Nee! Ze stampt op de grond. Dit moet stoppen.
En Britt moet daarvoor zorgen.
Inge is zo dom dat ze niets in de gaten heeft.
Of wil ze niks in de gaten hebben? Vindt ze
het wel best? Misschien heeft ze zelf ook een
andere man. Extra, voor erbij.
Dat kan niet. Inge doet nog altijd zo verliefd
tegen Britts vader. Als hij tenminste thuis is.

Met zijn drukke werk. Het overwerk.
Sorry, meisjes van me.

Britt rukt haar kamerdeur open. Ze moet het
Inge nu vertellen. Als haar vader niet eerlijk is,
dan moet zij dat maar zijn.
Maar ze blijft staan, met de deurklink in haar
hand. Ineens ziet ze voor zich hoe ze het aan
Inge vertelt.

Inge zal het eerst niet geloven. Ze zal
verdrietig zijn, ze zal boos worden. Ze zal
alles tegelijk zijn.
Haar vader zal boos op Britt worden. Zij heeft
hem verraden. Ze heeft geklikt als een kleuter.
Dan gaan Inge en haar vader uit elkaar. Haar
vader zal boos zijn op Britt, want zij heeft
alles verpest. Hij zal haar de deur uitzetten.
'Hoepel maar op, naar je moeder in Frankrijk!',
zal hij schreeuwen.

En dan moet ze weg. Weg van school, weg van
haar vrienden en Anouk. Weg van Bas!
Ze duwt haar kamerdeur met een klap weer
dicht.

Knetterverliefd

Britt laat zich op haar bed vallen.
Bas? Hoezo Bas?
Als zij naar haar moeder in Frankrijk moet,
raakt ze Bas kwijt?
Wat een onzin. Hij is niet eens van haar.
Nooit geweest ook, en hij zal nooit van haar
worden. Hij is van Dorris en die zorgt wel dat
ze hem houdt. Ze is knap, stoer en grappig.
Dat ben jij ook, Britt, zegt een stem vanbinnen.
Ze schudt haar hoofd. Misschien is zij ook wel
knap, stoer en grappig. Maar toch net iets
minder dan Dorris.

In elk geval zegt ze niets tegen Inge. Ze wil
niet weg hier.
Dan heeft haar vader maar twee vrouwen.
Zo kan Bas ook twee meisjes hebben. Die heel
knappe, stoere en grappige Bas.
Als hij met haar wil zoenen, zegt ze geen nee.
Dat weet ze zeker. Dan vergeet ze Dorris
meteen. Ze is nu eenmaal knetterverliefd op
Bas. Dat geeft ze toe.

'Britt, kom je eten?', roept Inge onderaan de trap.
Britt heeft geen trek. En geen zin om Inge onder ogen te komen. Inge die van niets weet. Of doet Inge maar alsof ze van niks weet? En als Inge er zelf achter komt? Dan gaat ze hier weg, voorgoed. Britt is dan weer samen met haar vader. Zoals ze ooit met zijn tweetjes een goed leven hadden. Dat zou mooi zijn.

'Britt, kom je nou?', hoort ze weer.
'Jahaa', roept ze terug.
Weer alleen met haar vader. Leuk? Met een vader die liegt en bedriegt? Zo kent ze haar vader niet. Zo'n vader wil ze ook niet.

Ze loopt de trap af.
Op tafel staan twee borden. De plaats van haar vader is leeg.
In de keuken zingt Inge zachtjes.
Ze heeft echt niets door.

Oud en wijs

'Je hebt weinig gegeten, Britt. Voel je je niet
lekker?'
Nu moet Inge niet bezorgd gaan doen. Ze is
haar moeder niet.
'Niks aan de hand', antwoordt Britt. Ze vindt
zichzelf niet aardig. Inge bedoelt het goed.
Ze staat op. 'Ik ga naar Anouk. We moeten nog
wat voor school doen.'

'Succes', zegt Inge als Britt de deur uitgaat.
Even heeft Britt medelijden met haar. Daar zit
Inge in een vreemd huis, alleen.
Dan bedenkt ze zich. Inge woont hier al een
paar jaar. Trouwens, ze heeft hier zelf voor
gekozen. Maar niet voor een man die haar
bedriegt. Alleen kan Britt daar niets aan
veranderen. Zou Anouk wel een plan hebben?

Even later heeft ze het hele verhaal aan
Anouk verteld. Ze voegt er nog aan toe:
'Hij kan wel verliefd zijn op die andere vrouw.
Maar hij mag daar niets mee doen.

Hij is met Inge. Punt. Ik ben zo boos op die vrouw. Die pikt pap zomaar van Inge af.'

Anouk kijkt haar aan. 'Misschien weet ze niet dat hij een vriendin heeft. Jij weet wel dat Bas met Dorris is. Jij wilt hem ook afpakken.'
'Kom op, Anouk, dat is heel anders.'
Anouk trekt een gezicht.
'Hoe kan ik zorgen dat dit stopt?', vraagt Britt aan Anouk.
'Jij kunt dit niet stoppen. Volwassenen zijn oud en wijs genoeg.'
'Oud wel.' Ze zeggen het tegelijk en schieten in de lach.

Maar meteen stopt Britt met lachen.
Anouk pakt haar vast. 'Ik vind het naar voor je. Je was altijd zo blij met je vader en trots op hem.'
Britt begint te huilen, ook al wil ze dat niet.
'Waarom maakt hij er zo'n zooitje van? Voor zo'n vrouw? Een betere vrouw dan Inge is er voor hem toch niet?'
Anouk heeft de antwoorden ook niet. Dat ziet Britt in haar ogen.

Weekendtas (1)

'Hoef je vanavond niet te werken?' Britt hoort zelf hoe verbaasd ze klinkt. Haar vader schudt zijn hoofd en kijkt lief naar Inge. Hij heeft haar net gevraagd om naar de film te gaan.

Britt kijkt bijna blij naar hun kleffe blikken. Ze vragen niet eens of ze meewil. Maar dat zou ze toch niet doen. Ze hoopt dat haar vader nu echt met zijn gedachten bij Inge is. En niet bij de vrouw van de whatsappjes en het computerscherm.

Maar de blijheid verdwijnt snel. Ze weet waarom hij naar de film wil. Hij wil iets goedmaken bij Inge. Maar wat betekent dat als hij die vrouw morgen toch weer zoent? Britt schudt haar hoofd. Ze wil er even niet aan denken.

'Als je meewilt?', stelt haar vader aarzelend voor. Ze hoort aan zijn stem dat hij liever alleen met Inge gaat.

Maar hij wil het vast ook goedmaken met
Britt. Hij heeft steeds zo weinig tijd voor haar.
'Ik moet vanavond huiswerk maken.'
'Wat ijverig', zegt haar vader.

Britt wordt bijna boos. Doet ze haar huiswerk
uit zichzelf, is het weer niet goed.
'Overmorgen heb ik een proefwerk
geschiedenis en morgenavond ben ik weg.'
Haar vader trekt zijn wenkbrauwen op.
Hij weet niet waar ze het over heeft.

Britt zucht. 'We hebben morgen een repetitie
in Arnhem. In de zaal waar we vrijdag ons
optreden hebben. Dat heb ik je toch verteld?'
Haar vader haalt zijn schouders op. 'Sorry,
Brittje. Ik heb het ook zo druk gehad de
laatste tijd.'

Ja, druk met die andere vrouw, denkt Britt.
Ze ziet hem glimlachen naar Inge. Die buigt
zich naar hem toe en zoent hem.
Inge moest eens weten. Morgen zoent hij
weer met die andere vrouw.
Britt kan het niet meer aanzien. Ze staat op.

'Pap, mag ik je weekendtas lenen? De rits van mijn tas is stuk. Ik ben bang dat ik onderweg mijn danskleren verlies.'

'Prima. Hij ligt op zolder, naast de koffers.'

Meteen kijkt hij Inge weer in haar ogen.

Met grote stappen loopt Britt de kamer uit.

Weekendtas (2)

De tas van haar vader is veel groter dan die
van haarzelf. Misschien kan ze deze wel
houden. Britt kijkt op de klok. Ze moet zich
haasten. Ze hoeft haar kleren niet eens netjes
op te vouwen. Alles past er makkelijk in.
Danskleren, pet, schoenen, riem.

Wacht, haar sleutels kan ze beter in het zijvak
stoppen. Anders vindt ze ze nooit meer terug.
In het zijvak zitten twee kaartjes. Britt haalt
ze eruit. Vliegtickets, naar Berlijn.
Daar is haar vader vorige maand geweest
voor zijn werk. Op het ene ticket staat zijn
naam: Mr. G. Berkers. En op het andere?
Ms. M. Simons.
Wacht even. Ze gaat zitten en houdt de
kaartjes vlak voor haar gezicht.

Dan knijpt ze haar ogen dicht, alsof ze
het niet wil zien. Maar ze begrijpt het al.
Mevrouw M. is de Mieke van het whatsappje.
De vrouw van het zoenen in de auto.

Hij was met die vrouw in Berlijn. Voor zijn werk, zei hij. Misschien hebben ze daar ook gewerkt. Maar hij was daar vooral met haar samen. Samen met deze weekendtas. Britt wil naar beneden stormen. Hem die tickets in zijn gezicht gooien. Inge alles vertellen.

Ze trekt haar kamerdeur open.
Ze hoort haar vader en Inge hard lachen in de keuken.
Wat moet ze?
Ineens weet ze dat ze nu niks moet zeggen.
Ze gaat lekker dansen. Even alles vergeten.

Zijn ogen

Britt mist de stem van Janice. Die staat stil
achter het gordijn. 'Bij het optreden vrijdag
kan ik ook niets zeggen of voordoen.'
Maar toen Britt en de dansers het podium
opgingen, riep ze wel: 'Meiden, go, go, go!'
Dat gaf Britt energie.

Maar nu voelt haar lijf zwaar. Om haar heen
beweegt iedereen zich soepel. De andere
meiden hoeven hun passen niet te tellen.
Ze luisteren naar de muziek en doen meteen
wat ze moeten doen.
Maar bij Britt gaat het niet vanzelf. Ze moet
tellen en denken. Zwaai je arm, rechts, rechts
en links.

Soms hoort ze de muziek niet eens. Ze ziet
ook de meiden voor haar niet. Wat ze wel
ziet, zijn die auto, de vrouw en haar vader.
Ze ziet Inge die lief naar hem kijkt. De twee
vliegtickets in de tas. Britt had ze in stukjes
gescheurd en in de prullenbak gesmeten.

Daarna heeft ze ze er weer uitgevist. Dit was het bewijs van haar vader en M., samen in Berlijn. Stop en sta, hoort ze in gedachten. De eerste dans is voorbij. Veel heeft ze er niet van gemerkt. Ze zal ook wel niet goed hebben gedanst.

Janice komt het podium op om te zeggen wat er beter kon. Gelukkig zegt ze niets over Britt. Maar ze bedoelt zeker Britt als ze zegt: 'Meiden, blijf er met je aandacht bij. De hele dans. Bij jullie optreden overmorgen moet het in één keer goed zijn.'

Britt knikt. Ze zet haar vader en Inge en M. uit haar hoofd. Dansen wil ze. Dansen gaat ze. 'Twee minuutjes pauze', zegt Janice. 'Zorg dat je genoeg drinkt.'
Britt loopt met de andere meiden naar de kleedruimte achter het toneel. Uit de tas van Berlijn – niet aan denken – haalt ze haar waterflesje.

Dan ziet ze de tas van Dorris. Of eigenlijk ziet ze iets anders. Ze kijkt recht in de ogen van Bas.

Bovenop de tas van Dorris ligt zijn foto.
'Mijn mascotte.' Met een elleboog stoot ze
Britt aan. Ze heeft Britt betrapt.
Maar het kan Britt niets schelen. Ze kijkt diep
in zijn ogen.
Ze zal voor hem dansen. Alsof zijn grote,
blauwe ogen háár zien. Elke pas, elke
armzwaai doet ze voor hem.

'Ja, meisjes. Go, go, go!'
Dan start de muziek. Haar rug recht, de
muziek om haar heen, zijn ogen in haar
gedachten. Zo stapt ze het podium op.
Vrijdag wil ze dansen zoals nu.
Voor Bas danst ze de sterren van de hemel.

Een kind (1)

'Leuk dat pap en jij vanavond komen kijken.'
Inge lijkt verrast dat Britt iets aardigs zegt.
'Lief dat je dat zegt, Britt. Ik wil graag volgen
waar je mee bezig bent. Ik ben heel benieuwd
naar jullie optreden. Niet dat ik er verstand
van heb. Ik heb helemaal geen gevoel voor
ritme. Dansen is bij mij nooit een succes.'

'Dan pas je echt bij pap', zegt Britt.
'Die beweegt als een houten plank.'
Inge knikt en straalt.
'Ik pas echt bij hem. Niet alleen omdat we
allebei niet kunnen dansen. Weet je, vóór je
vader heb ik andere relaties gehad. Maar hij is
echt de beste man voor mij. Ik wil oud worden
met hem. Dat gevoel had ik nooit bij andere
mannen.'
Britt luistert. Het is mooi om te zien hoe
verliefd Inge op hem is.

Maar meteen krijgt ze ook een naar gevoel.
Haar vader heeft nog een andere vrouw.

Inge praat verder. 'Het voelt zo goed, ook om hier met jullie te wonen. Ik weet dat ik nooit jouw moeder word. Je hebt al een moeder, dus dat hoeft ook niet. Maar ik vind het fijn om samen een gezin te zijn. En ...,' ze stopt even, 'voor het eerst denk ik dat ik een kind wil. Een kind van hem en mij samen. Minstens één. Als we eraan toe zijn.'

Hij is er nooit aan toe, wil Britt zeggen. Word wakker uit je droom. Hij is niet van jou alleen. Je moet hem delen met een andere vrouw.

'Wat is er, Britt? Maak ik je aan het schrikken? Lijkt het je niet leuk, een baby'tje?'

'Even naar boven', stamelt Britt. Ze kan Inges blijheid niet meer aanhoren.

Een groot hart

Over twee uur staat ze op het podium.
Britt is een beetje gespannen. Straks zitten
haar vader en Inge in de zaal. En Bas.
Britt kijkt uit het raam. Haar vader is er nog
niet. Ze zouden om zes uur eten. Moet hij
weer zogenaamd overwerken?

Ze kan niet met een volle maag dansen. Zal ze
aan Inge vragen of zij vroeger kan eten?
Inge snapt waarschijnlijk niet waarom ze net
naar boven vluchtte.
Britt komt de keuken in.
'Ik heb al soep voor je opgeschept', zegt Inge.
'Je vader zal zo wel komen. Maar jij kunt beter
niet met een volle maag dansen.'

Als Britt haar eerste hap neemt, begint Inge te
praten. Ze komt zelfs bij haar zitten.
Help, niet weer een gesprek. Zo kan Britt niet
eten. Rustig voor het dansen wordt ze er ook
niet van.

'Ik heb je natuurlijk een beetje laten
schrikken. Ik flapte eruit dat ik een kind wil.
Meer dan een zelfs. Aan dat idee moet jij even
wennen. Dat snap ik. Maar voor jou verandert
er niet zoveel, hoor. Je denkt misschien dat je
vader dan minder aandacht voor jou heeft.
Daar hoef je niet bang voor te zijn, Britt.
Je vader heeft een groot hart. Hij heeft zoveel
liefde te geven.'

Britt verslikt zich in haar soep. Zoveel liefde
heeft hij te geven. Daar weet ze alles van.
Hij strooit zijn liefde in het rond.
Hij heeft te veel voor één vrouw. Dus neemt
hij er nog een bij.
Ze moet hoesten.
Zachtjes klopt Inge op haar rug.

Geen Brittje meer

'Daar is hij.'
Britt hoort de liefde in Inges stem.
Ze heeft met Inge te doen. Ze moest eens
weten ...
'Dag, meisjes van me.'
Inge laat zich uitgebreid omhelzen.

Als haar vader Britt vastpakt, slaat ze zijn
hand weg. 'Ben je daar eindelijk?'
Haar vader kijkt haar verbaasd aan.
'Je wist toch dat ik vroeg moest eten.'
Haar vader kijkt Inge vragend aan.
'De voorstelling vanavond.'
'Dat weet ik toch wel.'

Wist hij het echt nog? Britt gelooft het niet.
'Ik verheug me erop. Heb je er zin in?', vraagt
hij aan Britt. Hij pakt haar even vast.
'Ahmmm', Britt haalt haar schouders op.
Hoe kan zij dat nou weten? Er gebeurt zoveel
de laatste tijd. Haar kop staat nu zeker niet
naar dansen.

'Ga gauw zitten, Guus. Dan schep ik je soep op.'
Britt staat op en schept alvast pasta op haar
bord.
'Hé, kun je niet even wachten? Zo ongezellig',
zegt haar vader.

Met een klap zet Britt haar bord op tafel.
De pasta schuift er half van af.
'Nee, dat kan ik niet. Ik was hier toevallig wél
op tijd. We hadden een afspraak: zes uur!
Maar jij bent weer eens te laat. Je moest zeker
overwerken. Of zoiets.'

Inge kijkt haar aan. Ze doet haar mond open
om iets te zeggen. Dat Britt niet zo'n grote
mond moet opzetten tegen haar vader?
Haar vader ziet het en gebaart met zijn hand.
Rustig maar, Inge.
'Ik snap dat je zenuwachtig bent voor
vanavond, Brittje.'
'Jij snapt er niks van. Trouwens, ik ben geen
Brittje meer. Ik snap meer dan jij denkt.'

Dan schuift ze haar bord weg. Zo hard dat de
pasta bijna weer op tafel glijdt.

Het kan haar niets schelen.
'Ik heb geen trek. Ik ga zo.'
Meteen rent ze naar boven. Ze hoort niet of
haar vader en Inge nog iets zeggen.

Bijna zoenen

'Ik vond je vrijdag echt goed, Britt. Met jullie
dans.' Bas kijkt diep in haar ogen. Zo diep dat
ze bloost en hem haast niet durft aan
te kijken.
Ze schudt haar hoofd. 'Jouw Dorris danst veel
beter.'
'Dat is anders. Ze doet de pasjes allemaal heel
netjes. Alles klopt, dat is waar. Maar jij, jij
danst met je hart.'

Britt denkt aan alle passen die fout gingen.
Iets uit de maat, een halve tel te laat. Maar
ze had wel plezier gehad. Ze vond het fijn dat
haar vader en Inge in de zaal zaten.
Voor even dacht ze niet aan de berichtjes.
Niet aan die vreemde geur in zijn kleren.
En aan die andere vrouw.
Even was het leven een dansfeest.

En dat is het nog steeds, want nu staat Bas
voor haar. Hij heeft haar echt zien dansen.
Hij vond haar goed.

Ze gaat dichter bij hem staan. Ze wil hem zoenen. Wat kan haar Dorris schelen met haar mooie danspasjes en de perfecte 'look'. Als je verliefd bent, mag alles.

Ze doet nog een stap naar voren.
Het lijkt of Bas haar verbaasd aankijkt.
Ze steekt haar arm uit. Ze wil hem om zijn schouder leggen. Bas naar zich toe trekken.
Hem zoenen en zoenen tot ze niet meer kan.
'Hé, Britt. Kom mee naar biologie.'
Anouk pakt haar arm en trekt Britt bijna omver.

Echt verliefd

Ineens staat Britt buiten. Ze hapt naar adem.
Hoe is ze buiten gekomen? Heeft Bas nog iets
gezegd?
Ze heeft het gevoel dat Anouk haar
meegesleept heeft. Over de grond gesleurd.
Overal voelt ze schaafwonden. Op haar
armen, haar knieën en haar hart.
Maar aan de buitenkant is niets te zien.

Ze hijgt na en kan niets zeggen tegen Anouk.
Dan begint Anouk te praten. 'Waar ben jij mee
bezig, Britt?'
Waar is ze mee bezig? Ze kan geen antwoord
bedenken.

'Je was Bas aan het versieren. Ik heb het wel
gezien. Gelukkig was ik net op tijd.'
'Als dat zo was, Anouk, waarom gun je me dat
dan niet?'
'Bas is al met Dorris en dat weet jij heel goed.'
'Maar ik ben verliefd op hem.'
'Dat kan wel zo zijn. Verliefd zijn is heerlijk.

Maar als je niet allebei vrij bent, moet je je handen thuishouden.

Het gevoel is niet verkeerd. Maar dat je er iets mee wilt doen, is wel fout. Dan maak je veel kapot. Ook voor jezelf trouwens.'

'Hou toch op, Anouk. Doe niet zo stom volwassen. Alsof jij het allemaal zo goed weet. Waar haal je al die wijsheid vandaan?'

Anouk antwoordt niet meteen. Dan zegt ze langzaam: 'Van jou, Britt. Weet je nog wat je zei over je vader? Hij kan wel verliefd zijn op die andere vrouw. Maar dan mag hij er niks mee doen.'

Britt stamelt. 'Ik ben echt verliefd op Bas.'

'Jouw vader zal ook zeggen dat hij echt verliefd is. Blijf van Bas af. Hij heeft al iemand. Je vindt het niet leuk dat hij met Dorris is. Maar je moet van hem afblijven.'

'Je snapt er niets van, Anouk. Bekijk het maar.' Britt draait zich om en loopt naar haar fiets. 'We hebben nog biologie', roept Anouk haar na.

Biologie bekijkt het ook maar. Ze gaat weg.
Waarheen? Britt heeft geen idee.

Op de fiets naar nergens schieten ze allemaal
door haar hoofd. De mensen met wie ze ruzie
heeft. Haar vader, Anouk en Bas.
Die ziet haar natuurlijk niet meer staan.
Maar de grootste ruzie heeft ze met zichzelf.
Ze probeerde Bas te versieren.
Hoe kon ze zo stom zijn?

Smoesjes

Ze moet van Bas afblijven. Anouk heeft gelijk.
Maar het is zo moeilijk. Zoals hij haar in haar
ogen keek. Zoals hij er relaxed bij stond. Zoals
hij haar naam zei. Zijn 'Britt' maakt haar
mooier en leuker.

Er wordt op haar deur geklopt.
Voordat ze 'nee' kan roepen, stapt haar vader
binnen.
'Ik heb geen "ja" gezegd', snauwt ze.
'Sorry dat ik zo binnenstap. Ik moet je
spreken, nu. Wat is dit?' Hij houdt een brief
voor haar neus. Van school.

'Je kunt toch wel lezen?'
'Je was maandag niet bij biologie. Je hebt
gespijbeld. Waar was je?'
'Ik vraag jou toch ook niet waar je was.'
'Doe niet zo brutaal, jij. Ik weet niet wat jou
mankeert de laatste tijd.'
'Snap je echt niet wat er aan de hand is? Vind
jij alles normaal zoals het gaat?'

Ze kan niet meer stoppen. 'Al dat overwerken, die whatsappjes. Ik heb het wel geroken, die parfumgeur.'

Haar vader staat voor haar als een klein kind. Een bang kind dat lijkt te smeken: sla me niet. 'Ik heb haar wel gezien, die vrouw.' 'Het is niet wat je denkt.' Britt schiet in de lach. 'Ik kan het uitleggen.' Britt lacht nog harder. Deze zinnen heeft ze wel eens gehoord in slechte films.

Maar ze stopt snel met lachen. Als hij het nou nog toegaf. Maar zoveel lef heeft hij niet. En ondertussen moet zij wel van Bas afblijven?

'Houd je smoesjes voor je. Inge kun je misschien iets wijsmaken. Maar mij niet. Ik vind het walgelijk waar je mee bezig bent. Je denkt toch zeker niet dat ik hier nog blijf. Ik ben weg.'

Ze zoekt haar slaapspullen bij elkaar. Nee, niet in die weekendtas.

Dan liever haar rugtas met de kapotte rits.
Even later sjeest ze op de fiets naar Anouk.
Ze weet niet eens of haar vader nog iets heeft
gezegd.

Te oud voor sprookjes

Wat doet ze hier in een slaapzak op een dun
matje? Britt kijkt om zich heen. Ze ziet Anouk
in bed liggen. Meteen weet ze het weer.
Hoe ze hijgend voor Anouks deur stond.
Hoe Anouk haar had geknuffeld. Hoe Britt had
gehuild tot ze niet meer kon.
Verdrietig, woedend en in de war. Dat had ze
allemaal gevoeld. Boos op haar vader, op die
vrouw, op Bas, op Dorris, op zichzelf.

Ze had geen idee hoe het verder moest.
Eén ding wist ze wel: ze ging niet meer terug
naar haar vader.
'Wil je dan naar je moeder?', had Anouk
gevraagd.
'Ik denk het niet. Kan ik bij jou blijven?'
'Vannacht wel, natuurlijk. Maar hier blijven is
geen oplossing.' Dat begreep Britt ook.

'Bel je vader dat je vannacht bij mij blijft.'
'Hij kan me missen als kiespijn. Hij vindt het
alleen maar lastig dat ik hem doorheb.'

'Misschien wel, maar hij maakt zich vast zorgen. Hier, bellen.' Anouk drukte Britts mobieltje in haar handen.
Britt had geen zin in zijn vragen en zijn antwoorden. Daarom had ze gewhatsappt dat ze bij Anouk bleef.
Daarna had ze haar mobiel meteen uitgezet.

Haar telefoon ligt nu naast haar slaapmatje. Ze zet hem weer aan.Natuurlijk heeft hij een bericht gestuurd. Drie zelfs.

Eerst:

> **PAPA**
> Het spijt me.

Daarna:

> **PAPA**
> Ik wil met je praten.

En als derde:

> **PAPA**
> Laten we lekker gewoon een eind gaan fietsen.

Fietsen, dat wil Britt nog wel. Even uitwaaien.
Maar hij moet niet aankomen met zijn
smoesjes en sprookjes.
Ze is te oud voor sprookjes.

Een kind (2)

Ze fietsen in het bos. Na kuil in, kuil uit, rijden
ze nu rustig over een vlak stuk.
Zacht ruisen de bomen, de zon schittert door
de bladeren. Het leven lijkt goed.

Britt kijkt opzij naar haar vader. Hij glimlacht
zijn mooie lach. Hij ziet eruit als vroeger
wanneer zij samen op pad waren. Maar het
voelt heel anders. Met zijn glimlach vraagt hij:
vind je me nog aardig? Ben je nog boos op me?
Natuurlijk is ze boos op hem. Maar hij is wel
haar vader. Waarom doet hij zo stom?
Ze moet het weten.

Ze knijpt vol in haar remmen en staat stil.
Haar vader heeft het eerst niet in de gaten.
Hij rijdt door, kijkt opzij en ziet haar niet
meer. Dan kijkt hij om en gooit meteen zijn
stuur om. 'Wat is er, Britt?'
Waarom doet hij of er niks aan de hand is?
Dat maakt haar boos.
Ze krijgt tranen in haar ogen.

'Brittje?' Hij tilt haar kin op en kijkt haar
in haar ogen. Dan komen meer tranen.
Het maakt haar nog bozer.
'Ik begrijp jou niet. Waarom heb je iets met
die vrouw? Inge is zo lief voor je. Heb je enig
idee hoeveel ze van je houdt? Weet je wat ze
pas tegen me zei? Dat jij de eerste man bent
met wie ze kinderen wil.'

'Echt? Zei ze dat tegen jou?'
'Denk je dat ik het verzin? Voor mij hoeft
het niet. Inge houdt echt veel van je. En jij
verknoeit het allemaal. Zo stom.'
Haar vader staat er zwijgend bij.

Dat maakt Britt nog bozer. Ze zet haar voet al
op de trapper. Ze wil wegracen. Maar hij pakt
haar hand vast.
'Het spijt me zo, Britt.'
Er rolt een traan over zijn wang.

Liefde maakt blind

'Ik ben zo stom geweest, Britt. Ik begrijp niet wat er allemaal is gebeurd.'
'Ga toch weg. Je was er zelf bij.'
'Verliefdheid doet rare dingen met je.'
'Onzin. Jij doet rare dingen met verliefdheid.'

Ze denkt aan Bas. Ze stond op het punt hem te zoenen. Maar zíj heeft het tenminste niet gedaan. Ja, omdat Anouk haar op tijd bij hem weghaalde. Anders weet ze ook niet wat er was gebeurd. Dat moet Britt eerlijk toegeven. Aan zichzelf. Maar haar vader hoeft dat niet te weten. Anders denkt hij dat het maar normaal is.
Je mag niet met iemand zoenen die bezet is.

'Het was zo leuk met Mieke.'
Britt denkt weer aan het moment dat haar vader zomaar 'Mieke' zei tegen Inge. Ze dacht toen dat hij haar moeder bedoelde. Maar het was de naam van zijn nieuwe vriendin.
Dat maakt die vergissing nog misselijker.

Ze wil wat zeggen, maar haar vader gaat verder. 'We konden zo goed praten en we hadden veel plezier samen.'

Met Inge dan niet?, wil Britt vragen. Maar haar vader praat door. 'Dat is nu allemaal voorbij.'

'Voorbij? Niks voorbij. Ik heb jullie toch zien zoenen in de auto bij je werk?'

Haar vader zegt droevig: 'Dat was de laatste keer. Die avond ben ik ermee gestopt. Ik wilde het niet meer. En dat doet pijn.'

Nu gaat hij ook nog zielig doen.

'Moet ik medelijden met je hebben? Het is je eigen schuld. Had je er maar niet aan moeten beginnen. Je kunt altijd verliefd worden. Maar je beslist zelf of je er iets mee doet.'

Haar vader kijkt haar aan. 'Jij bent misschien wel verstandiger dan ik.'

Ik weet zeker van niet, denkt Britt. Ze denkt aan Bas. Hoe leuk hij is en hoe pijnlijk het is dat ze er niets mee kan.

'Is het echt voorbij?' Ze durft het bijna niet te geloven.

'Ik wil Inge niet kwijt. Dus moest ik wel
stoppen met Mieke. Een relatie met twee
vrouwen kan niet. En dat wil ik ook niet.
Maar ik heb tijd nodig. Ik wil mezelf weer
recht in de ogen kunnen kijken. En Inge zeker.'

'Ik wilde het tegen Inge zeggen. Ik snapte niet
dat ze het zelf niet zag. Het was zo duidelijk.
Ook als ik jullie niet had zien zoenen in de
auto. Dat overwerk, de whatsappjes, de
vreemde geur van je jas. En dat stomme
kapsel.' Britt schiet in de lach. 'Dat model was
zeker haar idee?' Haar vader knikt als een
kleine jongen die iets fout heeft gedaan.

'Ik snap echt niet dat Inge niks doorhad.
Ze vertrouwt je zo.'
Haar vader wrijft langs zijn ogen.
'Dat vertrouwen ben ik niet waard. Inge is
zo goed, en mooi en leuk. Waarom zag ik dat
helemaal niet meer?'

'Liefde maakt blind, zeggen ze toch altijd?'
'Het lijkt alsof ik keihard ergens tegenaan ben
gelopen. Ik voel blauwe plekken op mijn hart.

En die doen flink pijn.'

'Tja', zegt Britt.

Haar vader kijkt een beetje benauwd.

Hij vraagt: 'Wil je het nog steeds tegen Inge
vertellen?'

'Dat moet je zelf maar doen.'

'Ik ben bang', zegt haar vader. 'Bang dat ze me
niet meer wil.'

Dat kan Britt zich best voorstellen. Bas zou
zoiets niet moeten flikken. Bas? Hij is niet
eens van haar.

Ze zou het best begrijpen als Inge bij haar
vader weggaat.

Hij ziet er zo ongelukkig uit. Daarom zegt ze:
'Inge vergeeft het je wel.'

'Denk je?', vraagt hij met hoop in zijn stem.

Drie min één

Hun messen en vorken tikken op de borden.
Britt hoort het slikken van haar eigen keel.
Ze zwijgen. Haar vader en zij.
Jarenlang zaten ze zo aan tafel. Met zijn
tweetjes. En het was goed.
Maar nu is het anders.

Ze zijn met zijn drieën, min één.
Inge is er niet. Maar ze is misschien wel meer
hier dan wanneer ze er echt zou zijn.
Britt weet dat haar vader dat ook voelt.
Ze hebben het toch jaren met zijn tweeën
gered, en heel fijn gehad? Zou dat ooit weer
zo kunnen worden?

Het grote verschil is dat haar vader toen
gelukkig was.
Nu zit hij hier zo ongelukkig. Zijn schouders
hangen omlaag, hij ziet bleek, hij staart voor
zich uit.
Hij mist iemand.
Maar alleen Inge? Of ook die andere vrouw?

Britt gelooft dat hij echt gestopt is met die vrouw. Hij krijgt geen berichtjes meer. Hij is op tijd thuis voor het eten.

's Avonds is hij niet meer boven in zijn kamer. Hij zit beneden en doet zijn best om het gezellig te maken. Maar dat nepvrolijke maakt zijn gezicht nog triester.

'Het is niks zo zonder Inge', zegt hij ineens.
Britt knikt.

Ze snapt wel dat Inge weg wilde. 'Ik heb tijd nodig om alles op een rijtje te zetten.' Dat had ze tegen Britt gezegd.

Britt had hen 's nachts lang horen praten in de slaapkamer. Toen wist ze dat haar vader het Inge had verteld. Zou Inge gaan schreeuwen, schelden? Het huis uit gaan met slaande deuren? Maar na het lange gesprek was het stil geworden.

De volgende morgen had Inge afscheid genomen van Britt. 'Ik ga een week naar een vriendin', had Inge gezegd. Ze pakte haar tas op en deed de deur open. Het was dé weekendtas, de tas van Berlijn.

Britt had die tickets er toch wel uitgehaald?
Even kon ze het zich niet herinneren. Maar
toen wist ze zeker dat ze de kaartjes eruit had
gehaald. Ze had ze verscheurd, in duizend
stukjes.

'Ik weet niet hoe het verder loopt', had Inge
gezegd. Ze gaf Britt een dikke knuffel.
'Tot gauw', zei Britt. Dat meende ze ook.
Ze voelt de lege plek aan tafel heel sterk.
Nu weet Britt het helemaal zeker. Ze wil dat
Inge terugkomt.

Een mooi uitzicht (1)

'Het is prachtig.' Haar vader is afgestapt en kijkt over de rivier beneden hen. Britt is het helemaal met hem eens. Ze komt hier vaak. Toch kijkt ze elke keer weer met open mond naar het uitzicht.
Ze zijn op het hoogste punt van de berg.
Nou ja, berg, in Nederland heb je geen echte bergen. Maar het was toch een flinke klim om boven te komen. Ze zetten hun fietsen tegen een boom en pakken hun flesjes water.
Dan ploffen ze neer op een bank.

Eigenlijk wil Britt in stilte genieten van het uitzicht. En ook van dat ze hier samen met haar vader is. Toch begint ze zelf te praten.
'Ik ben zo blij dat Inge weer terug is.'
'Ik ook, meisje. Nog blijer misschien dan toen ze bij ons kwam wonen. Maar dit is pas een eerste stap. Ze heeft tijd nodig om mij weer te vertrouwen. Dat snap ik ook. Ik heb er een rommeltje van gemaakt.
Verliefdheid is niet altijd alleen maar leuk.'

Daar weet Britt alles van. Zal ze haar vader vertellen over Bas? Dat ze hem wilde zoenen. Dat ze niet accepteerde dat hij met Dorris is. Was! Tot haar verbazing is hun verkering uit.

Vorige week viel het haar op dat ze hen niet meer samen zag. Gisteren had Anouk het verteld: 'Het is uit tussen die twee. Dorris leek het niet eens erg te vinden.'
Britt voelt zich in de war. Ze had verwacht dat ze meteen zou juichen. Maar misschien was Bas wel heel verdrietig.

'Zullen we naar beneden racen?', stelt haar vader voor.
'Leuk.'
Even nergens aan denken. Niet aan Bas, niet aan Inge, en zeker niet meer aan die vrouw. Nu is nu en ze is heerlijk aan het fietsen met haar vader.
Haar vader die ook fouten maakt, en dat toegeeft. Hij probeert zijn fouten goed te maken. Hij doet zijn best.
Zij gaat ook haar best doen. Ze zet af, maakt vaart en scheurt hem voorbij.

Een mooi uitzicht (2)

'Het is hier prachtig.' Hij is afgestapt en kijkt
over de rivier beneden hen.
Britt knikt. Ze hijgt van het fietsen.
Maar ze komt ook adem te kort als ze in zijn
ogen kijkt.
Ze staan op het hoogste punt van de berg.
Een week geleden stond ze hier met haar
vader. Nu staat hier alleen zijn fiets.

'Die jongen mag hem wel lenen', had haar
vader gezegd. 'Ik ga wat leuks met Inge doen.'
Het was lang geleden dat Britt haar vader zo
vrolijk had gezien.
'Even zitten, Brittje.' Ze voelt een hand om
haar hals. Eén tel, maar dat is al heerlijk.
Bas raakt haar aan.

Zij staat hier op deze prachtige plek.
Samen met Bas.
Bas die gisteren vroeg: 'Jij mountainbiket
toch? Ik zag je laatst met je vader. Ik heb dat
nog nooit gedaan.

Maar het lijkt me geweldig.'
'Ik vraag wel of je de fiets van mijn vader mag
lenen.'

Britt is blij dat ze dat goede idee kreeg.
Later had ze pas beseft hoe makkelijk het
allemaal ging.
Bas had ook 'nee' kunnen zeggen. Maar hij
had meteen geroepen: 'Leuk, als dat mag.
Zullen we meteen morgen gaan?'

Nu zitten ze hier op de bank uit te rusten.
Zwijgend drinken ze uit hun fles.
Hoe zit het met Dorris? Fietsen we alleen
samen of is er nog een hierna?
Britt hoeft de antwoorden niet te weten.
Ze zien wel. Bas en zij hier nu samen. Dat is
alles wat ze wil.

Meisje van me

Nog tien minuten. Dan komt hij.
Ze gaan weer mountainbiken, al is dat maar
een smoes. Een smoes om elkaar vandaag
weer te zien.
Nog negen minuten. Waarom duurt een
minuut zo lang?

In de keuken hoort ze haar vader en Inge
lachen. Plotseling is het stil. Britt kijkt om het
hoekje en ziet ze bij het aanrecht. Ze zoenen.
Klef, dat wel, maar ook fijn om te zien.
Het komt vast weer goed tussen die twee.
Misschien komt er ooit een baby'tje. Och, het
kan ook wel gezellig zijn, zo'n jankertje in
huis. Inge geeft haar vader een tweede kans.

Zoals Bas haar een tweede kans geeft. Na die
stomme actie toen ze hem bijna gezoend had.
Hij is er niet boos om geweest, juist niet.
'Ineens begreep ik dat je mij wel leuk vond.
Ik had altijd het idee dat je me niet eens zag.
Ik was benieuwd naar je.'

Toen hij Britt bij de voorstelling zag dansen,
wist hij het zeker. Snel daarna had hij het
uitgemaakt met Dorris.
Meer had hij er niet over gezegd.
'Het gaat nu om jou en mij', zei hij snel.
Verlegen, zo had ze hem nog nooit gezien.

Nog vier minuten. Zal hij haar vandaag
nog net zo leuk vinden? Stel je voor dat ze
tegenvalt? Stel je voor dat hij tegenvalt?
Dat kan niet. Elke dag vindt ze hem leuker
en liever.
De bel. Ze vliegt van de bank. Ze gooit de deur
open.

'Sorry, te vroeg. Ik kon niet langer wachten',
zegt Bas.
Ze stapt naar buiten. Hij stapt naar binnen.
Op de drempel botsen ze tegen elkaar aan.
Een zachte botsing. En dan zijn lippen op de
hare.

Wanneer ze even stoppen, kijkt Bas haar aan.
'Meisje van me', fluistert hij. Alsof hij het niet
kan geloven.

Dat zegt Britts vader ook wel eens tegen
haar. Haar vader met wie ze vroeger wilde
trouwen. Of met zo iemand als haar vader.
Trouwen? Wie denkt er nu aan trouwen?
Eerst maar eens zoenen.
En dat doen ze.

THUISFRONT:

Herkenbare verhalen voor tieners over problemen thuis.

Annie van Gansewinkel

Zat

Sinds de scheiding van haar ouders woont Roos bij haar moeder. Maar die is altijd ziek en ligt de hele dag op de bank. Roos komt erachter dat haar moeder te veel drinkt.

111 pagina's ┊ ISBN 978 90 8696 101 6

Anne-Rose Hermer

Schuld

Als John een ongeluk krijgt met zijn scooter, moet hij de schade zelf betalen. Al snel komt hij erachter dat er verschillende manieren zijn om aan geld te komen ...

104 pagina's ┊ ISBN 978 90 8696 133 7

Marjan van Abeelen

Internetdate

Kevin is 14 en gaat zijn chatvriendin Elfie voor het eerst ontmoeten. Maar is Elfie in het echt ook zo leuk? En wat moet hij doen als ze wil zoenen of misschien wel meer?

92 pagina's ┊ ISBN 978 90 8696 132 0

Marjan van Abeelen

Mams

De 14-jarige Madelief krijgt verschrikkelijk nieuws. Haar moeder heeft kanker, en zal niet meer beter worden. Om haar verdriet een plek te geven, begint Madelief een dagboek.

60 pagina's ┊ ISBN 978 90 8696 164 1

www.eenvoudigcommuniceren.nl
www.lezenvooriedereen.be